KB010786

世界名詩選集 / 김 영 랑

SEO MOON DANG'S
SCENTED TREASURY
OF WORLD POETRY
AND
FINE ART

*이 시집은 원문(原文)에 따랐으되, 표기는 편의상 현행 맞춤법
에 맞게 바로 잡고, 독자적인 시적 어휘는 원문대로 실었음을
밝혀 둡니다.

世界名詩選集

김 영 랑

서문당

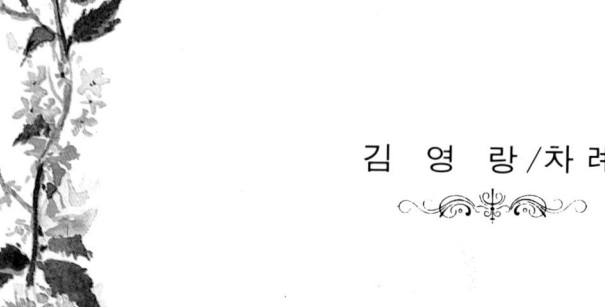

김 영 랑/차 례

I. 모란이 피기까지는

오-매 단풍 들것네

「오-매 단풍 들것네」
장ㅅ광에 골 붉은 감잎 날아와
누이는 놀란 듯이 치어다보며
「오-매 단풍 들것네」

추석이 내일모레 기둘리리
바람이 잦이어서 걱정이리
누이의 마음아 나를 보아라
「오-매 단풍 들것네」

언땅 한길

언땅 한길 파도 파도
괭이는 아프게 마치더라
언-대로 묻어두기 불쌍하기사

봄 되어 녹으면 울며 보채리

두자 세치를 눈이 덮여도
뿌리는 얼신 못 건드려
대 죽고 난 이 삼월(三月) 파르스름히
풀잎은 깔리네 깔리네

오 월 한(五月恨)

모란이 피는 오월달
월계(月桂)도 피는 오월달
온갖 재앙이 다 벌어졌어도
내 품에 남는 다순 김 있어
마음실 튀기는 오월(五月)이러라
무슨 대견한 옛날였으랴
그래서 못 잊는 오월이랴
청산(靑山)을 거닐면 하루 한 치씩
뻗어 오르는 풀숲 사이를
보람만 달리던 오월(五月)이러라
아무리 두견이 애닯아해도
황금 꾀꼬리 아양을 펴도
싫고 좋고 그렇기보다는
풍기는 내음에 지늘꼈건만
어느새 다 해—진 오월(五月)이러라.

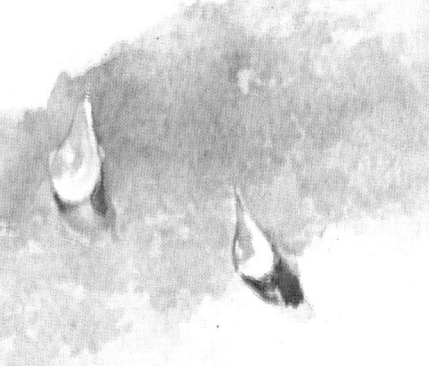

내 옛날 온 꿈이

내 옛날 온 꿈이 모조리 실리어 간
하늘갓 닿는 데 기쁨이 사신가

고요히 사라지는 구름을 바래자
헛되나 마음 가는 그 곳뿐이라

눈물을 삼키며 기쁨을 찾노란다
허공은 저리도 한없이 푸르름을

엎듸어 눈물로 땅 위에 새기자
하늘갓 닿는 데 기쁨이 사신다

바다로 가자

바다로 가자 큰 바다로 가자
우리 인젠 큰 하늘과 넓은 바다를 마음대로 가졌노라
하늘이 바다요 바다가 하늘이라
바다 하늘 모두 다 가졌노라
옳다 그리하여 가슴이 뻐근치야
우리 모두 다 가졌구나 큰 바다로 가졌구나

우리는 바다 없이 살았지야 숨막히고 살았지야
그리하여 쪼여들고 울고불고 하였지야
바다 없는 항구 속에 사로잡힌 몸은
살이 터져나고 뼈 튀겨나고 넋이 흩어지고
하마트면 아주 꺼꾸러져 버릴 것을
오! 바다가 터지도다 큰 바다가 터지도다

쪽배 타면 제주(濟州)야 가고오고
독목선(獨木船) 왜(倭)섬이사 갔다왔지
허나 그게 바달러냐
건너뛰는 실개천이라
우리 삼년(三年) 걸려도 큰 배를 짓잤구나
큰 바다 넓은 하늘을 우리는 가졌노라

우리 큰 배 타고 떠나가졌구나
창랑(滄浪)을 헤치고 태풍(颱風)을 걷어차고

하늘과 맞닿은 저 수평선(水平線) 뚫으리라
큰 호통하고 떠나가졌구나
바다 없는 항구에 사로잡힌 마음들아
툭 털고 일어서자 바다가 네 집이라

우리들 사슬 벗은 넋이로다 풀어 놓인 겨레로다
가슴엔 잔뜩 별을 안으렴아
손에 잡히는 엄마별 아기별
머리엔 끄득 보배를 이고 오렴
발 아래 쫙 깔린 산호요 진주라
바다로 가자 우리 큰 바다로 가자

모란이 피기까지는

모란이 피기까지는
나는 아직 나의 봄을 기둘리고 있을 테요
모란이 뚝뚝 떨어져 버린 날
나는 비로소 봄을 여읜 설움에 잠길 테요
오월(五月) 어느 날 그 하루 무덥든 날
떨어져 누운 꽃잎마저 시들어 버리고는
천지에 모란은 자취도 없어지고
뻗쳐 오르든 내 보람 서운케 무너졌느니
모란이 지고 말면 그뿐 내 한 해는 다 가고 말아
삼백 예순 날 하냥 섭섭해 우웁내다
모란이 피기까지는
나는 아직 기둘리고 있을 테요 찬란한 슬픔의 봄을

빛깔 환히

빛깔 환히
동창에 떠오름을 기둘리신가
아흐레 어린 달이
부름도 없이 홀로 났네
월출동령(月出東嶺)!
팔도 사람 다 맞이하소
기척없이 따르는 마음
그대나 홀히 싸안아 주오

푸른 향물 흘러버린

푸른 향물 흘러버린 어덕 위에
내 마음 하루살이 나래로다
보실보실 가을 눈이 그 나래를 치며
허공의 소색임을 들으라 한다

금 호 강(琴湖江)

언제부터
응 그래 저 수백리를
맥맥히 이어받고 이어가는 도란 물결 소리
슬픈 어족(魚族) 거슬러 행렬하는 강(江)
차라리 아쉬움에
내 후련한 연륜과 함께
맛보듯 구수한 이야기 잊고
어드멜 흘러갈 금호강

여기 해뜨는 아침이 있었다
계절풍(季節風)과 더불어 꽃피는 봄이 있었다
교교히 달빛어린 가을이 있었다

이 나룻가에서
내가 몸을 따루며 살았다
물소리를 듣고 잠들었다
오랜 오늘
근이는 대학을 들고
수방우와 그리고 선이가 죽었다는
소문이 도시 믿어지지 않은,

이 나룻가
오롯한 위치에 내 홀로 서면,

지금은 어느 어머니가 된
눈맵시 아름다운 여인의 이름이,
아직도 입술에 맴돌아
사라지지 않고,
이 나룻가 물을 마시고 받은
내 청춘의 상처
아──나의 병아

지반추억(池畔追憶)

깊은 겨울 햇빛이 다사한 날

큰 못가의 하마 잊었던 두덩 길을 사뿐 거닐어가다 무심코
주저앉다

구르다 남아 한곳에 소복이 쌓인 낙엽(落葉) 그 위에
주저앉다

사르르 빠시식 어쩌면 내가 이리 짓궂은고

내 몸 풀을 내가 느끼거늘 아무렇지도 않은 듯 앉아지다?

못물은 추위에도 다르다 얼지도 않은 날에 낙엽(落葉)이
수없이 묻힌 검은 뻘

흙이랑 더러 드러나는 물 부피도 많이 줄었다

흐르지 않더라도 가는 물결이 금 가거늘

이 못물 왜 이럴까 이게 바로 그 죽음의 물일까

그저 고요하다 뻘 흙 속엔 지렁이 하나도 꿈틀거리지
않아?

뽀글하지도 않아 그저 고요하다 그 물 위에 떨어지는
마른 잎 하나도 없어?

햇볕이 다사롭기로야 나는 서운하나마 인생(人生)을
느끼는데

여남은 해? 그 때는 봄날이러라 바로 이 못가이러라

그이와 단둘이 흰 모시 진솔 두르고 푸르른 이끼도 행여
밟을세라 돌 위에

앉고 부풀은 봄 물결 위의 떠 노는 백조(白鳥)를 희롱하여

아직 청춘(靑春)을 서로 좋아하였거니

아! 나는 이즈음 서운하나마 인생(人生)을 느끼는데

연(鳶) 1

내 어린 날!
아슬한 하늘에 뜬 연같이
바람에 깜박이는 연실같이
내 어린 날! 아슴풀하다

하늘은 파―랗고 끝없고
편편한 연실은 조매롭고
오! 흰 연 그 새에 높이
아실아실 떠놀다 내 어린 날!

바람 일어 끊어지든 날
엄마 아빠 부르고 울다
희끗희끗한 실낱이 서러워
아침 저녁 나무 밑에 울다

오! 내 어린 날 하얀옷 입고
외로이 자랐다 하얀 넋 담ㅅ고
조마조마 길가에 붉은 발자욱
자욱마다 눈물이 고이였었다

연(鳶) 2

좀평나무 높은 가지 끝에 얼킨 다아 해진
　　흰 실낱을 남은 몰라도
보름 전에 산을 넘어 멀리 가버린 내 연의
　　한 알 남긴 설움의 첫씨
태어난 뒤 처음 높이 띄운 보람 맛본 보람

안 끊어졌드면 그럴 수 없지
찬바람 쐬며 코ㅅ 흘리며 그 겨울내
　그 실낱 치어다보러 다녔으리
내 인생이란 그때버텀 벌써 시든 상싶어
철든 어른을 뽐내다가도 그 실낱 같은 병(病)의 실마리
마음 어느 한 구석에 도사리고 있어 얼신거리면
아이고! 모르지
불다 자는 바람 타다 꺼진 불ㅅ동
아! 인생도 겨레도 다아 멀어지든구나

어느날 어느때고

어느날 어느때고
잘 가기 위하여
평안히 가기 위하여
몸이 비록
아프고 지칠지라도
마음 평안히
가기 위하여
일만 정성
모두어 보리.
멋없이 봄은 살같이 떠나고
중년(中年)은 하 외로워도
이 허무(虛無)에선 떠나야 될 것을
살이 삭삭
여미고 썰릴지라도
마음 평안히
가기 위하여
아! 이것
평생을 닦는 좁은 길.

행　군(行軍)

북(北)으로 북(北)으로
울고 간다 기러기

남방(南邦)대숲 밑을
뉘 후여 날켰느뇨

낄르르 낄르
차운 어슨 달밤

언 하늘 스미지 못 해
처량한 행군(行軍)

낄르! 가늘프게 멀다
하늘은 목메인 소리도 낸다

내 홋진 노래

그대 내 홋진 노래를 들으실까
꽃은 가득 피고 벌떼 잉잉거리고

그대 내 그늘 없는 소리를 들으실까
안개 자욱히 푸른 골을 다 덮었네

그대 내 홍 안 이는 노래를 들으실까
봄 물결은 왜 이는지 출렁거린듸

내 소리는 꿰벗어 봄철이 싫다리
호젓한 소리 가다가는 쓸쓸한 소리

어슨 달밤 빨간 동백꽃 쥐어따서
마음씨 냥 꽁꽁 쭈무러버리네

함 박 눈

바람이 부는대로 찾어가오리
홀린 듯 기약하신 님이시기로
행여나! 행여나! 귀를 종금이
어리석다 하심은 너무로구려

문풍지 설움에 몸이 저리어
내리는 함박눈 가슴 해여저
헛보람! 헛보람! 몰랐으료만
날다려 어리석단 너무로구려

아퍼누워 혼자 비노라

아퍼누워 혼자 비노라
이대로 가진 못 하느냐

비는 마음 그래도 거짓 있나
사잔 욕심 찾어도 보나
새삼스레 있을 리 없다
힘없고 느릿한 핏줄 하나

오! 그저 이슬같이
예사 고요히 지려무나
저기 은행잎은 떠날은다

II. 내 마음을 아실 이

돌담에 소색이는 햇발

돌담에 소색이는 햇발같이
풀 아래 웃음 짓는 샘물같이
내 마음 고요히 고운 봄길 위에
오늘 하루 하늘을 우러르고 싶다

새악시 볼에 떠오는 부끄럼같이
시(詩)의 가슴을 살프시 젖는 물결같이
보드레한 에메랄드 얕게 흐르는
실비단 하늘을 바라보고 싶다

내 마음을 아실 이

내 마음을 아실 이
내 혼자 마음 날같이 아실 이
그래도 어데나 계실 것이면

내 마음에 때때로 어리우는 타끌과
속임없는 눈물의 간곡한 방울방울
푸른 밤 고이 맺는 이슬 같은 보람을
보밴 듯 감추었다 내어드리지

아! 그립다
내 혼자 마음 날같이 아실 이
꿈에나 아득히 보이는가

향 맑은 옥돌에 불이 달어
사랑은 타기도 하오련만
불빛에 연긴 듯 희미론 마음은
사랑도 모르리 내 혼자 마음은

가늘한 내음

내 가슴 속에 가늘한 내음
애끈히 떠도는 내음
저녁해 고요히 지는 제
머-ㄴ 산(山)허리에 슬리는 보랏빛

오! 그 수심 뜬 보랏빛
내가 잃은 마음의 그림자
한 이틀 정열에 뚝뚝 떨어진 모란의
깃든 향취가 이 가슴 놓고 갔을 줄이야

얼결에 여읜 봄 흐르는 마음
헛되이 찾으려 허덕이는 날
뻘 위에 철-석 개ㅅ물이 놓이듯
얼컥 니-는 훗근한 내음

아! 훗근한 내음 내키다마-는
서어한 가슴에 그늘이 도-나니
수심 뜨고 애끈하고 고요하기
산(山)허리에 슬리는 저녁 보랏빛

끝없는 강물이 흐르네

내 마음의 어딘 듯 한편에 끝없는
　강물이 흐르네
돋쳐오르는 아침 날빛이 뻔질한
　은결을 돋우네

가슴엔 듯 눈엔 듯 또 피ㅅ줄엔 듯
마음이 도른도른 숨어 있는 곳
내 마음의 어딘 듯 한편에 끝없는
　강물이 흐르네

꿈밭에 봄마음

굽어진 돌담을 돌아서 돌아서
달이 흐른다 놀이 흐른다
하이얀 그림자
은실을 즈르르 몰아서
꿈밭에 봄마음 가고가고 또 간다

어덕에 바로 누워

어덕에 바로 누워
아슬한 푸른 하늘 뜻없이 바래다가
나는 잊었읍네 눈물 도는 노래를
그 하늘 아슬하야 너무도 아슬하야

이 몸이 서러운 줄 어덕이야 아시련만
마음의 가는 웃음 한 때라도 없드라냐
아슬한 하늘 아래 귀여운 맘 질기운 맘
내 눈은 감기였데 감기였데

수풀 아래 작은 샘

수풀 아래 작은 샘
언제나 흰구름 떠가는 높은 하늘만 내어다보는
수풀 속의 맑은 샘
넓은 하늘의 수만 별을 그대로 총총 가슴에 박은
작은 샘
두레박을 쏟아져 동우갓을 깨지는 찬란한 떼별의
흩는 소리
얽혀져 잠긴 구슬 손결이
왼 별나라 휘 흔들어 버리어도 맑은 샘
해도 저물녘 그대 종종걸음 흰듯 다녀갈 뿐 샘은
외로워도
그 밤 또 그대 날과 샘과 셋이 도른도른
무슨 그리 향그런 이야기 날을 새웠나
샘은 애끈한 젊은 꿈 이제도 그저 지녔으리
이 밤 내 혼자 내려가 볼꺼나 내려가 볼꺼나

5월(五月) 아침

비 개인 5월(五月) 아침
혼란스런 꾀꼬리 소리
찬엄(燦嚴)한 햇살 퍼져오릅내다

이슬비 새벽을 적시울 지음
두견의 가슴 찢는 소리 피어린 흐느낌
한 그릇 옛날 향훈(香薰)이 어찌
이 맘 홍근 안 젖었으리오만은

이 아침 새빛에 하늘대는 어린 속잎들 저리
부드러웁고
그 보금자리에 찌찌찌 소리내는 잘새의 발목은
포실거리어
접힌 마음 구긴 생각 이제 다 어루만져졌나 보오
꾀꼬리는 다시 창공(蒼空)을 흔드오
자랑찬 새하늘을 사치스레 만드오

사향(麝香) 냄새도 잊어 버렸대서야
불혹(不惑)이 자랑이 아니되오
아침 꾀꼬리에 안 불리는 혼(魂)이야
새벽 두견이 못 잡는 마음이야
한낮이 정익(靜謐)하단들 또 무얼하오

저 꾀꼬리 무던히 소년(少年)인가 보
새벽 두견이야 오—랜 중년(中年)이고
내사 불혹(不惑)을 자랑튼 사람

청　　명(清明)

호르 호르르 호르르르 가을 아침
취여진 청명을 마시며 거닐면
수풀이 호르르 벌레가 호르르르
청명은 내 머리 속 가슴 속을 젖어들어
발끝 손끝으로 새어나가나니

온 살결 터럭끝은 모두 눈이요 입이라
나는 수풀의 정을 알 수 있고
벌레의 예지를 알 수 있다
그리하여 나도 이 아침 청명의
가장 고웁지 못한 노래ㅅ군이 된다

수풀과 벌레는 자고 깨인 어린애
밤 새어 빨고도 이슬은 남었다
남었거든 나를 주라
나는 이 청명에도 주리나니
방에 문을 닫고 벽을 향해 숨쉬지 않었느뇨

햇발이 처음 쏟아오아
청명은 갑자기 으리으리한 관(冠)을 쓴다
토르륵 시르르 동백화 한 알은 빠지나니
오! 그 빛남 그 고요함
간밤에 하늘을 쫓긴 별살의 흐름이 저러했다

왼 소리의 앞소리요
왼 빛깔의 비롯이라
이 청명에 포근 취여진 내 마음
감각의 시원한 골에 돋은 한낱 풀잎이라
평생을 이슬 밑에 자리잡은 한낱 버러지로라

불 지 암(佛地菴)

　그 밤 가득한 산(山) 정기는 기척없이 솟은 하얀 달빛에
모두 쏠리우고
　한낮은 향미로우라 울리던 냇ㅅ물 소리마저 멀고
그윽하여
　중향(衆香)의 맑은 돌에 맺은 금이슬 구을러 흩으듯
　아담한 꿈 하나 여승의 호젓한 품을 애끊이 사라졌느니

　천년(千年) 옛날 쫓기어 간 신라(新羅)의 아들이냐 그 빛은
청초한 수미산(山) 나리꽃
　정녕 지름길 섯드른 흰옷 입은 고운 소년(少年)이
　흡사 그 바다에서 이 바다로 고요히 떨어지는 별ㅅ살같이
　옆산(山) 모롱이에 언듯 나타나 앞골 시내로 사뿐
사라지심

　승은 아까워 못 견디는 양 희미해지는 꿈만 뒤쫓았으나
　끝없는지라 도려 밝는 날의 남모를 귀한 보람을
품었을 뿐
　토끼라 사슴만 뛰어 보여도 반드시 기려지는 사나이
지났었느니

　고운 연(輦)의 거동이 있음직한 맑고 트인 날 해는
기우는 제
　승의 보람은 이루었느냐 가엾어라 미목 청수한 젊은 선비

앞 시내ㅅ물 모이는 새파란 소에 몸을 던지시니라

＊불지암 : 내금강 유적(幽寂)한 곳에
위치한 허물어져 가는 고찰(古刹).

북

자네 소리하게 내 북을 잡지

진양조 중머리 중중머리
엇머리 잦어지다 휘몰아 보아

이렇게 숨결이 꼭 맞어서만 이룬 일이란
인생(人生)에 흔치 않어 어려운 일 시원한 일

소리를 떠나서야 북은 오직 가죽일 뿐
헛 때리면 만갑(萬甲)이도 숨을 고쳐 쉴밖에

장단(長短)을 친다는 말이 모자라오
연창(演唱)을 살리는 반주(伴奏)쯤은 지나고
북은 오히려 컨덕터ㅡ요

떠받는 명고(名鼓)인듸 잔가락을 온통 잊으오
떡 궁! 동중정(動中靜)이오 소란 속에 고요 있어
인생(人生)이 가을같이 익어 가오

자네 소리하게 내 북을 치지

낮의 소란소리

거나한 낮의 소란소리 풍겼는듸
금시 퇴락하는 양
묵은 벽지(壁紙)의 내음 그윽하고
저쯤 예사 걸려 있을 히멀끔한 달
한 자락 펴진 구름도 못 말어놓는 바람이어니
묵근히 옮겨딛는 밤의 검은 발짓만
고되인 넋을 짓밟누나
아! 몇 날을 더 몇 날을
뛰어 본 다리 날아 본 다리
허잔한 풍경(風景)을 안고 고요히 선다

한줌 흙

본시 평탄했을 마음 아니로다
굳이 톱질하여 산산 찢어 놓았다

풍경(風景)이 눈을 홀리지 못하고
사랑이 생각을 흐리지 못한다

지쳐 원망도 않고 산다

대체 내 노래는 어디로 갔느냐
가장 거룩한 것 이 눈물만

아신 마음 끝내 못 빼앗고
주린 마음 끄득 못 배불리고

어차피 몸도 피로워졌다
바삐 관(棺)에 못을 다져라

아무려나 한줌 흙이 되는구나

그대는 호령도 하실 만하다

창랑에 잠방거리는 흰 물새러냐
그대는 탈도 없이 태연스럽다

마을 휩쓸고 목숨 앗어 간
간밤 풍랑도 가소롭구나

아침 날빛에 돛 높이 달고
청산아 보아라 떠나가는 배

바람은 차고 물결은 치고
그대는 호령도 하실 만하다

겨레의 새해

　해는 저물 적마다 그가 저지른 모든
일을 잊음의 큰 바다로 흘려보내지만
　우리는 새해를 오직 보람으로 다시
맞이한다.
　멀리 사천 이백 팔십 일년
　흰 뫼에 흰 눈이 쌓인 그대로
　겨레는 한결같이 늘고 커지도다
　일어나고 없어지고 온갖 살림은
　구태여 캐내어 따질 것 없이
　긴긴 반만년 통틀어 오롯했다
　사십 년 치욕은 한바탕 험한 꿈
　사넌 쓰린 생각 아직도 눈물이 돼
　이 아침 이 가슴 정말 뻐근하거니
　나라가 처음 만방평화의 큰 기둥되고
　백성이 인류 위해 큰 일을 맡음이라
　긴 반만년 합쳐서 한 해로다
　새해 처음 맞는 겨레의 새해
　미진한 대업 이루라라 거칠 것 없이
닫는 새해
　이 첫날 겨레는 손 맞잡고 노래한다

쓸쓸한 뫼 앞에

쓸쓸한 뫼 앞에 호젓히 앉으면
마음은 갈앉은 양금줄같이
무덤의 잔디에 얼굴을 부비면
넋이는 향맑은 구슬손같이
산ㅅ골로 가노라 산ㅅ골로 가노라
무덤이 그리워 산ㅅ골로 가노라

뉘 눈결에 쏘이었오

뉘 눈결에 쏘이었오
왼통 수집어진 저 하늘빛
담 안에 복숭아꽃이 붉고
밖에 봄은 벌써 재앙스럽소

꾀꼬리 단둘이 단둘이로다
빈 골ㅅ작도 부끄러워
혼란스런 노래로 흰구름 피여올리나
그 속에 든 꿈이 더 재앙스럽소

물 보면 흐르고

물 보면 흐르고
별 보면 또렷한
마음이 어이면 늙으뇨

흰 날에 한숨만
끝없이 떠돌던
시절이 가엾고 멀어라

안쓰런 눈물에 안겨
흩은 잎 쌓인 곳에 빗방울 드듯
느낌은 후줄근히 흘러흘러 가건만

그 밤을 홀히 앉으면
무심코 야윈 볼도 만져 보느니
시들고 못 피인 꽃 어서 떨어지거라

III. 저녁 때 외로운 마음

숲 향기

숲 향기 숨길을 가로막었오
발 끝에 구슬이 깨이어지고
달 따라 들길을 걸어다니다
하룻밤 여름을 새워 버렸오

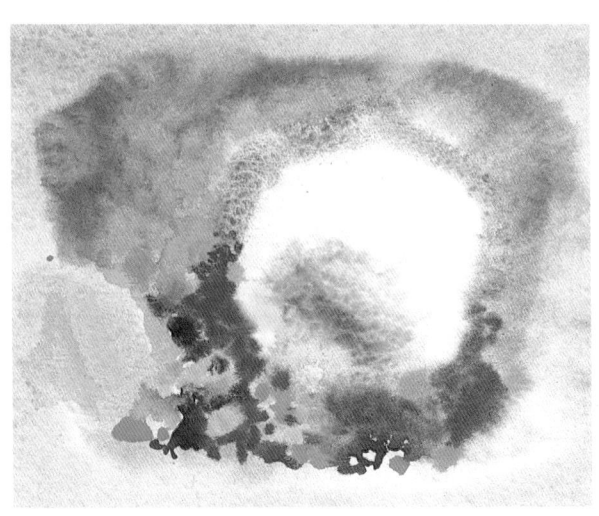

독(毒)을 차고

내 가슴에 독(毒)을 찬 지 오래로다
아직 아무도 해(害)한 일 없는 새로 뽑은 독(毒)
벗은 그 무서운 독(毒) 그만 흩어버리라 한다
나는 그 독(毒)이 선뜻 벗도 해(害)할지 모른다 위협하고

독(毒) 안 차고 살어도 머지않어 너 나 마주 가버리면
억만세대(億萬世代)가 그 뒤로 잠자코 흘러가고
나중에 땅덩이 모지라져 모래알이 될 것임을
「허무한듸!」독(毒)은 차서 무엇 하느냐고?

아! 내 세상에 태어났음을 원망 않고 보낸
어느 하루가 있었던가 「허무한듸!」허나
앞뒤로 덤비는 이리 승냥이 바야흐로 내 마음을 노리매
내 산 채 짐승의 밥이 되어 찢기우고 할퀴우라 내맡긴
신세임을

나는 독(毒)을 차고 선선히 가리라
마금날 내 외로운 혼(魂) 건지기 위하여

제　야(除夜)

제운밤 촛불이 찌르르 녹어버린다
못 견디게 무거운 어느 별이 떨어지는가

어둑한 골목골목에 수심은 떴다 갈앉았다
제운밤 이 한밤이 모질기도 하온가

희부얀 조히 등불 수집은 걸음걸이
샘물 정히 떠붓는 안쓰러운 마음결

한해라 기리운 정을 묻고 쌓아 흰 그릇에
그대는 이 밤이라 맑으라 비사이다

집

내 집 아니라
늬 집이라
날으다 얼른 돌아오라
처마 난간이
늬들 가여운 소색임을 지음(知音)터라

내 집 아니라
늬 집이라
아배 간 뒤 머언 날
아들 손자 잠도 깨우리
문틈 사이 늬는 몇 대(代)째 서뤄 우느뇨

내 집 아니라
늬 집이라
하늘 날으던 은행(銀杏)잎이
좁은 마루구석에 품인 듯 안겨든다
태고(太古)로 맑은 바람이 거기 살었니라

오! 내 집이라
열 해요 스무 해를
앉었다 누웠달 뿐
문 밖에 바쁜 손(客)이
길 잘못 들어 날 찾어오고

손때 살내음도 저뤘을 난간이
흔히 나를 안고 한가하다
한두쪽 흰구름도 사라지는듸
한두엇 저질러 논 부끄러운 짓
파아란 하늘처럼 아슴풀하다

황홀한 달빛

황홀한 달빛
바다는 은(銀)장
천지는 꿈인 양
이리 고요하다

부르면 내려올 듯
정든 달은
맑고 은은한 노래
울려날 듯

저 은(銀)장 위에
떨어진단들
달이야 설마
깨어질라고

떨어져 보라
저 달 어서 떨어져라
그 혼란스럼
아름다운 천둥지둥

호젓한 삼경(三更)
산 위에 홀히
꿈꾸는 바다
깨울 수 없다

물 소 리

바람따라 가지오고 멀어지는 물소리
아주 바람같이 쉬는 적도 있었으면
흐름도 가득 찰랑 흐르다가
더러는 그림같이 머물렀다 흘러보지
밤도 산골 쓸쓸하이 이 한밤 쉬어가지
어느 뉘 꿈에 든 셈 소리없든 못할소냐

새벽 잠결에 언듯 들리어
내 무건 머리 선듯 씻기우느니
황금소반에 구슬이 굴렀다
오 그립고 향기론 소리야
물아 거기 좀 멈췄으라 나는 그윽히
저 창공의 은하만년(銀河萬年)을 헤아려 보노니

달

사개 틀린 고풍(古風)의 툇마루에 없는 듯이 앉어
아직 떠오를 기척도 없는 달을 기둘린다
아무런 뜻 없이
아무런 뜻 없이

이제 저 감나무 그림자가
사뿐 한 치씩 옮아오고
이 마루에 빛깔의 방석이
보시시 깔리우면

나는 내 하나인 외론 벗
가냘픈 내 그림자와
말없이 몸짓없이 서로 맞대고 있으려니
이 밤 옮기는 발짓이나 들려 오리라

거 문 고

검은 벽에 기대선 채로
해가 스무 번 바뀌었는듸
내 기린(麒麟)은 영영 울지를 못한다

그 가슴을 퉁 흔들고 간 노인(老人)의 손
지금 어느 끝없는 향연(饗宴)에 높이 앉았으려니
땅 위의 외론 기린이야 하마 잊어졌을라

바깥은 거친 들 이리떼만 몰려다니고
사람인 양 꾸민 잔나비떼들 쏘다니어
내 기린은 맘둘 곳 몸둘 곳 없어지다

문 아주 굳이 닫고 벽에 기대선 채
해가 또 한 번 바뀌거늘
이 밤도 내 기린은 맘놓고 울들 못한다

강(江) 물

잠ㅅ자리가 서뤄서 일어났소
꿈이 고웁지 못해 눈을 떴소

베개에 차단히 눈물은 젖었는듸
흐르다 못해 한 방울 애끈히 고이였소

꿈에 본 강(江)물이라 몹시 보고 싶었소

무럭무럭 김오르며 내리는 강(江)물

언덕을 혼자서 거니노라니
물오리 갈매기도 끼룩끼룩

강(江)물은 철철 흘러가면서
아심찬이 그 꿈도 떠싣고 갔소

꿈이 아닌 생시 가진 설움도
자꾸 강(江)물은 떠싣고 갔소

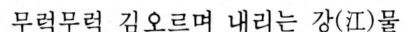

우　감(偶感)

우렁찬 소리 한 마디 안 그리운가
내 비위에 꼭 맞는 그 한 마디!
입에 돌고 귀에 아직 우는구나

사십 갓 찬 나이, 내 일찍 나서 좋다
창자가 짤리는 설움도 맛봐서 좋다
간 쓸개가 가까스로 남었거늘

아버지도 싫다 너무 이른 때 나셨다
아들도 싫다 너무 지나서 나왔다
내 나이 알맞다 가장 서럽게 자랐다

행복을 찾노라 모두들 환장한다
제 혼자 때문만 아니라는구나 주제넘게 남의 행복까지!
갖다 부처님께 바쳐라 앓는 마누라나 달래라

봄되면 우렁찬 소리 여기저기 나는 듯해 자지러지다가도
거저 되살아날 듯싶다만 내 보금자리는 하냥 서런
행복(幸福)이 가득차 있다

새벽의 처형장(處刑場)

　새벽의 처형장에는 서리 찬 마(魔)의 숨길이
휙휙 살을 에웁니다
　탕탕 탕탕탕 퍽퍽 쓰러집니다
　모두가 씩씩한 맑은 눈을 가진 젊은이들 낳기 전에
임을 빼앗긴 태극기를 도루 찾아 삼년을 휘두르며
바른 길을 앞서 걷던 젊은이들
　탕탕탕 탕탕 자꾸 쓰러집니다
　연유 모를 떼죽음 원통한 떼죽음

　마지막 숨이 다 저질 때에도 못 잊는 것은
　하현 찬 달 아래 종고산(鐘鼓山) 머리 날으는 태극기
　오……망해 가는 조국의 모습
　눈이 차마 감겨졌을까요

천리(千里)를 올라온다

천리(千里)를 올라온다
또 천리(千里)를 올라들 온다
나귀 얼렁소리 닿는 말굽소리
청운(靑雲)의 큰 뜻은 모여들다 모여들다.

남산북악(南山北岳) 갈래갈래 뻗은 골짜기
엷은 안개 그 밑에 묵은 이끼와 푸른 송백(松柏)
낭랑히 울려나는 청의동자(靑衣童子)의 글 외는 소리
나라가 덩그러니 이룩해지다.

인경종이 울어 8문(八門)이 굳이 닫히어도
난신외구(亂臣外寇) 더러 성(城)을 넘고 불을 놓다.
퇴락(頹落)한 금석전각(金石殿閣) 이젠 차라리 겨레의
향그런 재화(才華)로다.
찬란한 파고다여, 우리 그대 앞에 진정 고개 숙인다.

철마(鐵馬)가 터지든 날 노들 무쇠다리
신기한 먼 나라를 사뿐 옮겨다 놓았다.
서울! 이 나라의 화사한 아침 저자러라
겨레의 새 봄바람에 어리둥절 실행(失行)한 숫처녀들
없었을 거냐.

남산(南山)에 올라 북한관악(北漢冠岳)을 두루
바라다보아도
정녕코 산(山) 정기로 태어난 우리들이라.
우뚝 솟은 뫼뿌리마다 고물고물 골짜기마다
내 모습 내 마음 두견이 울고 두견이 피고

높은 재 얕은 골 흔들리는 실마리 길
그윽하고 너그럽고 잔잔하고 산뜻하지
백마(白馬) 호통 소리 나는 날이면
황금(黃金) 꾀꼬리 희비교향(喜悲交響)을 아뢰리라.

묘 비 명(墓碑銘)

생전에 이다지 외로운 사람
어이해 뫼 아래 비(碑)돌 세우오
초조론 길손의 한숨이라도
헤어진 고총에 자주 떠오리
날마다 외롭다 가고 말 사람
그래도 뫼 아래 비(碑)돌 세우리
「외롭건 내 곁에 쉬시다 가라」
한(恨)되는 한 마디 삭이실난가

마당 앞 맑은 새암

마당 앞
맑은 새암을 들여다본다

저 깊은 땅 밑에
사로잡힌 넋 있어
언제나 먼 하늘만
내다보고 계심 같어

별이 총총한
맑은 새암을 들여다본다

저 깊은 땅 속에
편히 누운 넋 있어
이 밤 그 눈 반짝이고
그의 겉몸 부르심 같어

마당 앞
맑은 새암은 내 영혼의 얼굴

강선대(降仙臺) 돌바늘 끝에

강선대(降仙臺) 돌바늘 끝에
하잔한 인간 하나
그는 버ー르써
불타오르는 호수(湖水)에 뛰어내려서
제 몸 사뤘더라면 좋았을 인간

이제 몇 해뇨
그 황홀 만나도 이 몸 선뜻 못 내던지고
그 찬란 보고도 노래는 영영 못 부른 채

젖어드는 물결과 싸우다 넘기고
시달린 마음이라 더러 눈물 맺었네

강선대(降仙臺) 돌바늘 끝에 벌써
불사뤘어야 좋았을 인간

땅 거 미

가을날 땅거미 아름풋한 흐름 위를
고요히 실리우다 휜뜻 스러지는 것
잊은 봄 보랏빛의 낡은 내음이뇨
임의 사라진 천리(千里)밖의 산(山)울림
오랜 세월 시닷긴 으스름한 파스텔

애닯은 듯한
좀 서러운 듯한

오! 모두 다 못 돌아오는
먼─지난 날의 놓친 마음

춘　향 (春香)

큰 칼 쓰고 옥(獄)에 든 춘향(春香)이는
제 마음이 그리도 독했던가 놀래었다
성문이 부서져도 이 악물고
사또를 노려보던 교만한 눈
그는 옛날 성학사(成學士) 박팽년(朴彭年)이

불지짐에도 태연(泰然)하였음을 알았었니라
오! 일편단심(一片丹心)

원통코 독한 마음 잠과 꿈을 이뤘으랴
옥방(獄房) 첫날 밤은 길고도 무서워라
설움이 사무치고 지쳐 쓰러지면
남강(南江)의 외론 혼(魂)은 불리어 나왔느니
논개(論介)! 어린 춘향(春香)을 꼭 안어
밤새워 마음과 살을 어루만지다
오! 일편단심(一片丹心)

사랑이 무엇이기
정절(貞節)이 무엇이기
그 때문에 꽃의 춘향(春香) 그만 옥사(獄死)하단 말가
지네 구렁이 같은 변학도(卞學徒)의
흉칙한 얼굴에 까무러쳐도
어린 가슴 달큼히 지켜주는 도련님 생각
오! 일편단심(一片丹心)

상하고 멍든 자리 마디마디 문지르며
눈물은 타고 남은 간을 젖어 내렸다
버들잎이 창살에 선뜻 스치는 날도
도련님 말방울 소리는 아니 들렸다
삼경(三更)을 새우다가 그는 고만 단장(斷腸)하다
두견이 울어 두견이 울어 남원(南原)고을도 깨어지고
오! 일편단심(一片丹心)

깊은 겨울 밤 비바람은 우루루루
피칠해 논 옥창(獄窓)살을 들이치는데
옥(獄) 죽음한 원귀(冤鬼)들이 구석구석에 획획 울어
청절춘향(淸節春香)도 혼(魂)을 잃고 몸을 버려 버렸다
밤 새도록 까무러치고
해 돋을 녘 깨어나다
오! 일편단심(一片丹心)

믿고 바라고 눈 아프게 보고 싶던 도련님이
죽기 전(前)에 와 주셨다 춘향(春香)은 살았구나
쑥대머리 귀신얼굴 된 춘향(春香)이 보고
이(李)도령은 잔인(殘忍)스레 웃었다 저 때문의
정절(貞節)이 자랑스러워
「우리 집이 꽉 망(亡)해서 상(上)거지가 되었지야」

　틀림없는 도련님 춘향(春香)은 원망도 안했니라
　오! 일편단심(一片丹心)

　모진 춘향(春香)이 그 밤 새벽에 또 까무러쳐서는
　영 다시 깨어나진 못했었다 두견은 울었건만
　도련님 다시 뵈어 한(恨)을 풀었으나 살아날 가망은
아주 끊기고
　왼 몸 푸른 맥(脈)도 홱 풀려버렸을 법
　출도(出道) 끝에 어사(御史)는 춘향(春香)의 몸을
거두며 울다
　「내 변가(卞苛)보다 잔인무지(殘忍無智)하여
춘향(春香)을 죽였구나」
　오! 일편단심(一片丹心)

망   각(忘却)

걷던 걸음 멈추고 서서도 얼컥 생각키는 것 죽음이로다
그 죽음이사 서른 살 적에 벌써 다 잊어 버리고
살아왔는듸
웬 노릇인지 요즘 작고 그 죽음 바로 닥쳐 온 듯만
싶어져
항용 주춤 서서 행길을 호기로이 달리는 행상(行喪)을
보랐고 있느니

내 가버린 뒤도 세월이야 그대로 흐르고 흘러가면
그뿐이오라
나를 안어 기르던 산천(山川)도 만년(萬年)한 양
그 모습 아름다워라
영영 가버린 날과 이 세상 아무 가젤 것 없으매
다시 찾고 부를 인들 있으랴 억만영겁(億萬永劫)이
아득할 뿐

산천(山川)이 아름다워도 노래가 고왔드래도 사랑과
예술이 쓰고 달끔하여도
그저 허무한 노릇이여라 모든 산다는 것 다 허무하오라
짧은 그 동안이 행복했든들 참다웠든들 무어 얼마나
다를라드냐
다 마찬가지 아니 남만 나흘러냐? 다 허무하오라

그 날 빛나던 두 눈 딱 감기어 명상(瞑想)한대도
눈물은 흐르고

허덕이다 숨 다 지면 가는 거지야

더구나 총칼 사이 헤매다 죽는 태어난 비운(悲運)의
겨레이어든

죽음이 무서움다 새삼스레 뉘 비겁(卑怯)할소냐마는
비겁(卑怯)할소냐마는

죽는다——고만이라——이 허망한 생각 내 마음을 왜
꼭 붙잡고 놓질 않느냐

망각(忘却)하자——해본다 지난 날을 아니라 닥쳐 오는
내 죽음을

아! 죽음도 망각할 수 있는 것이라면

허나 어디 죽음이사 망각해질 수 있는 것이냐

길고 먼 세기(世紀)는 그 죽음 다 망각(忘却)하였지만

두　견(杜鵑)

울어 피를 뱉고 뱉은 피 도루 삼켜
평생을 원한과 슬픔에 지친 적은 새
너는 너른 세상에 설움을 피로 새기러 오고
네 눈물은 수천(數千) 세월을 끊임없이 흐려 놓았다
여기는 먼 남(南)쪽 땅 너 쫓겨 숨음직한 외딴 곳
달빛 너무도 황홀하여 호젓한 이 새벽을
송기한 네 울음 천(千)길 바다 밑 고기를 놀래이고
하늘가 어린 별들 버르르 떨리겠고나

몇 해라 이 삼경(三更)에 빙빙 도ー는 눈물을
슷지는 못하고 고인 그대로 흘리웠느니
서럽고 외롭고 여윈 이 몸은
퍼붓는 네 술잔에 그만 지늘졌느니
무섬증 드는 이 새벽까지 울리는 저승의 노래
저기 성(城) 밑을 돌아나가는 죽음의 자랑찬 소리여
달빛 오히려 마음 어둘 저 흰등 흐느껴 가신다
오래 시들어 파리한 마음마저 가고지워라

비탄의 넋이 붉은 마음만 낱낱 시들피나니
짙은 봄 옥 속 춘향(春香)이 아니 죽였을라듸야
옛날 왕궁(王宮)을 나신 나이 어린 임금이
산골에 홀히 우시다 너를 따라 가시었느니
고금도(古今島) 마주 보이는 남쪽 바닷가
한(恨)많은 귀향길
천리(千里) 망아지 얼렁소리 쉰 듯 멈추고
선비 여윈 얼굴 푸른 물에 띄웠을 제
네 한(恨)된 울음 죽음을 호려 불렀으리라

너 아니 울어도 이 세상 서럽고 쓰린 것을
이른 봄 수풀이 초록빛 들어 풀 내음새 그윽하고
가는 대잎에 초생달 매달려 애틋한 밝은 어둠을
너 몹시 안타까워 포실거리며 훗훗 목메었느니
아니 울고는 하마 지고 없으리 오! 불행(不幸)의
넋이여
우거진 진달래 와직 지우는 이 삼경(三更)의 네 울음
희미한 줄산(山)이 살풋 물러서고
조고만 시골이 흥청 깨어진다

─ 119 ─

저녁때 외로운 마음

저녁때 저녁때 외로운 마음
붙잡지 못하여 걸어다님을
누구라 불어 주신 바람이기로
눈물을 눈물을 빼앗아 가오

노   래

눈물에 실려가면 산(山)길로 칠십 리(七十里)
돌아보니 찬바람 무덤에 몰리네
서울이 천 리(千里)로다 멀기도 하련만
눈물에 실려가면 한 걸음 한 걸음

뱃장 위에 부은 발 쉬일가 보다
달빛으로 눈물을 말릴가 보다
고요한 바다 위로 노래가 떠간다
설움도 부끄러워 노래가 노래가

5 월(五月)

들길은 마을에 들자 붉어지고
마을 골목은 들로 내려서자 푸르러진다
바람은 넘실 천(千)이랑 만(萬)이랑
이랑이랑 햇빛이 갈라지고
보리도 허리통이 부끄럽게 드러났다
꾀꼬리는 엽태 혼자 날아 볼 줄 모르나니
암컷이라 쫓길 뿐
숫놈이라 쫓을 뿐
황금 빛난 길이 어지럴 뿐
얇은 단장하고 아양 가득 차 있는
산(山)봉우리야 오늘밤 너 어디로 가버리련?

──── 4 행 시 (四行詩) ────

님 두시고 가는 길의 애끈한 마음이여
한숨 쉬면 꺼질 듯한 조매로운 꿈길이여
이 밤은 캄캄한 어느 뉘 시골인가
이슬같이 고인 눈물을 손끝으로 깨치나니

        ※

허리띠 매는 시악시 마음실같이
꽃가지에 은은한 그늘이 지면
흰 날의 내 가슴 아지랑이 낀다
흰 날의 내 가슴 아지랑이 낀다

풀 위에 맺어지는 이슬을 본다
눈썹에 아롱지는 눈물을 본다
풀 위엔 정기가 꿈같이 오르고
가슴은 간곡히 입을 벌린다

※

좁은 길ㅅ가에 무덤이 하나
이슬에 젖이우며 밤을 새인다
나는 사라져 저 별이 되오리
뫼 아래 누워서 희미한 별을

밤ㅅ사람 그립고야
말없이 걸어가는 밤ㅅ사람 그립고야
보름 넘은 달그리매 마음아이 서어로아
오랜 밤을 나도 혼자 밤ㅅ사람 그립고야

※

무너진 성터에 바람이 세나니
가을은 쓸쓸한 맛뿐이구려
희끗희끗 산국화 나부끼면서
가을은 애닯다 소색이느뇨

※

산ㅅ골을 놀이터로 커난 시악시
가슴 속은 구슬같이 맑으련만은
바라뵈는 먼 곳이 그리움인지
동우인 채 산길에 섰기도 하네

※

그 색시 서럽다 그 얼굴 그 동자가
가을 하늘가에 도는 바람 슷긴 구름조각
햇슥하고 서느라워 어데로 떠갔으랴
그 색시 서럽다 옛날의 옛날의

떠날어가는 마음의 파름한 길을
꿈이런가 눈 감고 헤아리려니
가슴에 선뜻 빛깔이 돌아
생각을 끊으며 눈물 고이며

※

다정히도 불어 오는 바람이길래
내 숨결 가부엽게 실어보냈오
하늘갓을 스치고 휘도는 바람
어이면 한숨만 몰아다 주오

뵈지도 않는 입김의 가는 실마리
새파란 하늘끝에 오름과 같이
대숲의 숨은 마음 긔혀 찾으려
삶은 오로지 바늘끝같이

⁂

사랑은 깊으기 푸른 하늘
맹세는 가볍기 흰구름쪽
그 구름 사라진다 서럽지는 않으나
그 하늘 큰 조화 못 믿지는 않으나

미움이란 말 속에 보기 싫은 아픔
미움이란 말 속에 하잔한 뉘우침
그러나 그 말씀 씹히고 씹힐 때
한 꺼풀 넘치여 흐르는 눈물

❋

왼 몸을 감도는 붉은 핏줄이
꼭 감긴 눈 속에 뭉치여 있네
날랜 소리 한 마디 날랜 칼 하나
그 핏줄 딱 끊어버릴 수 없나

　눈물 속 빛나는 보람과 웃음 속 어둔
슬픔은
　오직 가을 하늘에 떠도는 구름
　다만 호젓하고 줄 데 없는 마음만 예나
이제나
　외론 밤 바람 숫긴 찬 별을 보랐습니다

✳

　밤이면 고총 아래 고개 숙이고
　낮이면 하늘 보고 웃음 좀 웃고
　너른 들 쓸쓸하여 외론 할미꽃
　아무도 몰래 지는 새벽 지친 별

그밖에 더 아실 이 안 계실거나
그이의 젖인 옷깃 눈물이라고
빛나는 별 아래 애달픈 입김이
이슬로 맺이고 맺히였음을

※

빈 포케트에 손 찌르고 폴 베를레느
찾는 날
왼 몸은 흐렁흐렁 눈물도 찟끔했노라
오! 비가 이리 쭐쭐쭐 내리는 날은
서른 소리 한 천 마디 외었으면 싶어라

※

향내 없다고 버리실라면
내 목숨 꺾지나 마르시오
외로운 들꽃은 들가에 시들어
철없는 그이의 발끝에 조을 걸

※

어덕에 누워 바다를 보면
빛나는 잔물결 헤일 수 없지만
눈만 감으면 떠오는 얼굴
뵈올 적마다 꼭 한 분이구려

바람에 나부끼는 깔잎
여울에 희롱하는 깔잎
알만 모를만 숨 쉬고 눈물 맺은
내 청춘의 어느날 서러운 손ㅅ짓이여

✳

뻘은 가슴을 훤히 벗고
개풀 수집어 고개 숙이네
한낮에 배란 놈이 저 가슴 만졌고나
뻘건 맨발로는 나도 자꼬 간지럽고나

저 곡조만 마조 호동글 사라지면
목 속의 구슬을 물 속에 버리려니
해와 같이 떴다 지는 구름 속 종달은
새날 또 새론 섬 새구슬 머금고 오리

⁕

생각하면 부끄러운 일이여라
석가나 예수같이 큰 일을 하리라고
내 가슴에 불덩이가 타오르던 때
학생이란 피로 싸인 부끄러운 때

못 오실 님이 그리웁기로
흩어진 꽃잎이 슬프렛든가
빈손 쥐고 오신 봄이 거저나 가시련만
홀러가는 눈물이면 님의 마음 젖이련만

＊

빠른 철로에 조는 손님아
이 시골 이 정거장 행여 잊을라
한가하고 그립고 쓸쓸한 시골 사람의
드나드는 이 정거장 행여 잊을라

서정시의 발판 다진 김영랑

전　규　태
(문학평론가)

영랑의 시는 읽을 수록 맛이 난다. 달콤하고 고소하고 향기롭다. 굳이 장황하고 긴 사설을 늘어놓지 않고, 오히려 다듬어진 짤막한 시구 속에 우주를 거느리고 있다.

인생의 깊은 체험이 내면화되어 샘솟듯 치솟는 가락이 절로 읽는 사람의 혈관을 타고 흐른다. 그리고 차원 높은 세계로 인도해 준다.

다양함과 함축성을 지니면서 여러모로 해석할 가능성을 보여 주는 그의 시는 언어의 조탁(彫琢), 언어의 음악성이 특히 돋보인다.

영랑은 언어미에 유별한 신경을 쓰는 시인이었는데, 특히 전라도 특유의 방언을 중심으로 시를 구상화시켜 토속미를 한껏 느끼게 해 준다.

영랑(永郎) 김윤식(金允植)은 1903년 전라남도 강진(康津)에서 태어났다.

그의 나이 15세에 휘문의숙(徽文義塾)에 입학했고, 17세 때 고향에서 3·1운동에 가담하여 대구형무소에서 옥고를 치루기도 했다.

18세 때 일본 아오야마 가꾸인(靑山學院) 대학에 입학하여 박 렬(朴烈)과 같은 방에서 하숙했고, 그 무렵 박용철(朴龍喆)과도 친교를 맺기 시작했다.

대학에서 성악 공부를 하려다가 부친의 만류로 영문학을 전공했다.

해방이 되자 한국독립촉성회 단장직을 맡으면서 한때는 정치에도 관심을 가져 보았으나 실패로 돌아 갔고 공보처 출판국장직을 지냈는데, 6·25사변 당시 서울 수복 시가전 때 날아 온 포탄의 파편으로 복부상을 입고 1950년 9월에 작고했다.

영랑이 시인으로서의 첫 출발을 하게 된 것은 1930년의 일이다. 그해 3월에 간행된 「시문학(詩文學)」지 창간호에 정지용, 이하윤, 박용철 등과 함께 처음으로 시를 활자화하면서부터였다. 그는 계속하여

「시문학」을 통해 왕성한 작품 활동을 벌였다.

1935년 11월 「영랑시집(永郎詩集)」이 나오기 전까지 그의 시는 「시문학」, 그리고 「문학」지에만 작품이 실렸다. 그런데 영랑은 1938년 5월 가장 가까웠던 친구 박용철이 타계할 때까지 한 편의 시도 발표하지 않았다.

그러다가 1949년에야 서정주 시인이 「영랑시선(永郎詩選)」을 편집, 60편의 시를 세상에 알리게 된 것이다. 그러니까 김영랑은 두 권의 시집 「영랑시집」과 「영랑시선」을 남기고 이승을 떠난 것이다.

김영랑 시의 특징을 같은 시문학파였던 동료들은 이렇게 말한다. "그는 유미주의자(唯美主義者)다. 그의 시는 천하일품이다. …가슴에 저릿저릿하게 감각의 기쁨을 일으키게 하는, 이러한 시구의 아름다움에 대해서 아무러한 느낌이 없거나, 또는 그런 것쯤은 아무렇게도 알지 못 하는 사람과는 영랑시집을 이야기하는 것이 헛된 일이리라. 그는 부자유스런 궁핍같은 물질적인 현실 생활의 체취를 작품에서 추방하고 될 수 있는 대로 순수한 감각을 추구한다"고 박용철은 살과 피의 맺힘처럼 쓰는 영랑의 시를 예찬했다.

정지용은 영랑의 시를 "단조(單調)가 아니라 절조(絶調)다. 복잡을 통과하여 나온 정금미옥(精金美玉)의 순수이다."라고 격찬하기도 했다.

1930년대에 접어들어 김영랑 등 이른바 '시문학파'의 등장으로 우리 시문학사상 본격적인 서정시의 발판을 구축하게 된다. 그들은 시를 외부에서 구하거나, 시대 환경적인 것에서 찾으려 들지 않고, 자신의 내부에서 추구하였다.

영랑은 자신의 마음에서 시의 발상 원천을 찾았다. 즉 외적 상황이나 사회 현실에서가 아니라 '내 마음'에서 발생한다. 그는 실존적 자아인식이 강했다.

아름다운 율조와 정서의 면면함으로 우리 현대 시사(詩史)의 큰 획을 그었다고 평가되는 그의 대표작인 〈모란이 피기까지는〉을 놓고 보아도 그의 순수 시정을 잘 알 수 있다.

가냘프고 질기며 또한 티없이 깨끗한 서정을 세련된 언어와 매끄러운 율조로 노래한 그의 시는 윤선도(尹善道)의 서정과 일맥 상통하는 바가 있다. 가히 우리 시문학사상 정지용의 감각적인 기교와는

질을 달리하는 '순수시의 큰 봉우리'라 이를만 하다.

아름다움을 드러내기 위해 한 이상적인 존재로 제시한 '모란'에 대한 애정을 노래하면서도 그는 한낱 하나의 꽃에 대한 애정에만 골몰하고 있지 않다.

그의 상념을 펴보이기 위한 재료로서 사용되고 있다. 즉 환희, 슬픔, 삶, 죽음, 생성, 소멸하는 것 등이 순환하는 역사의 표적이기도 하다.

그는 다가올 내일을 늘 헤아리면서 무엇인가에 기대를 걸고 살아 가는 인생의 모습을 잘 나타내 준다. 희망이라든가, 그리움이라든가, 또는 무엇인지 모르는 서글픔 같은 것이 버무러져 뻔히 알면서도 속아 넘어가고, 그리고는 실의(失意)에 빠지기도 하면서 기다려 본다.

김영랑은 언어의 연금술사(鍊金術師)다. 그는 특히 전라도 사투리와 옛말을 교묘하게 섞어 씀으로써 시 자체를 더욱 향토색 짙게 해 준다. 이러한 구수한 사투리가 결코 그의 시에 손색을 입히지 않을 뿐더러 오히려 소박하고 친근미를 느끼게 한다.

그는 양악은 물론 국악에도 남다른 조예가 있었는데, 이러한 깊은 이해가 그의 시를 더욱 운율미 있고 감각적이게 했다고 본다.

영랑은 결코 개인적인 서정에만 머무르지는 않는다. 그의 개성적 서정은 때로는 민족적인 한(恨)의 비분으로 발전되기도 한다. 1930 년대 후반부터 40년대 전반의 일제(日帝) 말기에 그는 민족적 반항 의식이 〈두견(杜鵑)〉, 〈독(毒)을 차고〉 등의 시에서 강하게 나타나 있다.

> 울어 피를 뱉고 뱉은 피 도루 삼켜
> 평생을 원한과 슬픔에 지친 적은 새
> 너는 너른 세상에 설움을 피로 새기러 오고
> 네 눈물은 수천(數千) 세월을 끊임없이 흐려 놓았다
> 여기는 먼 남(南)쪽 땅 너 쫓겨 숨음직한 외딴 곳
> 달빛 너무도 황홀하여 호젓한 이 새벽을
> 송기한 네 울음 천(千)길 바다 밑 고기를 놀래이고
> 하늘가 어린 별들 버르르 떨리겠고나
> 몇 해라 이 삼경(三更)에 빙빙 도-는 눈물을
> 숫지는 못하고 고인 그대로 흘리웠느니

서럽고 외롭고 여윈 이 몸은
퍼붓는 네 술잔에 그만 지늘졌느니
무섬증 드는 이 새벽까지 울리는 저승의 노래
저기 성(城) 밑을 돌아나가는 죽음의 자랑찬 소리여
달빛 오히려 마음 어둘 저 흰둥 흐느껴 가신다
오래 시들어 파리한 마음마저 가고 지워라
　　　　　　　　——〈두　견(杜鵑)〉에서——

　하지만 그는 상황의식에 지나친 신경을 곤두세우지는 않았다. 그는
개인적인 비애나 민족적인 한(恨) 같은 것을 잘 다스리고 승화시켜
인생적인 달관의 경지에 이르게 된다.
　김영랑은　낭만적인　성품의　소유자였다.　하지만　정열이나　감정을
격렬하게 나타내는 그런 낭만주의자는 아니었다. 그는 차분하게, 열
정을 삭이면서 스스로의 경험이나 사물적인 이미지를 시로 만들되,
오랜 시간을 두고 다지고 또 다진 다음에 내놓는 시인이다. 따라서
그의 시는 부드러운 언어 선택, 음악적인 조율에 의한 기교에 머무
르지 않고 따뜻하고 애절하면서도 차분한 느낌이 들어 많은 사람들
에게 널리 애송되고 있는 것이다.

세계명시선집 〈7〉 **김 영 랑**

혁신 초판 발행 2021년 5월 31일
그 린 이   안   영
펴 낸 이   최 석 로
펴 낸 곳   서 문 당
주 소   경기도 고양시 일산 서구 덕산로 99번길 85
우편번호   10204
전 화   031-923-8288
팩 스   031-923-8259
창립일자   1968년 12월 24일
창업등록   1968.12.26 No.가2367
출판등록   제 406-313-2001-000005호
ISBN   978-79-8243-806-9
초판 발행 1991년 11월 20일
* 파본은 바꾸어드립니다.